La ligue MIKADO

François Gravel   Olivier Heban

Éditions **SCHOLASTIC**

Catalogage avant publication de Bibliothèque et Archives Canada

La ligue Mikado / François Gravel ; illustrations de Olivier Heban. Pour les 4-8 ans.
ISBN 978-1-4431-0383-1

I. Heban, Olivier II. Titre.

PS8563.R388L54 2010   jC843'.54   C2010-904922-5

Édition publiée par les Éditions Scholastic, 604, rue King Ouest, Toronto (Ontario)   M5V 1E1

5 4 3 2 1   Imprimé au Canada   119   10 11 12 13 14

Les illustrations de ce livre ont été créées électroniquement.
Le texte est composé avec la police de caractères Gotham.

À Sophie et Marie

— *F.G.*

À mon garçon, Nicolas, qui fut mon plus fervent admirateur (et critique!) lors de la réalisation de cet album.

— *O.H.*

Je ne connaissais personne quand je suis arrivé dans mon nouveau quartier.

Heureusement que j'avais mon bâton de hockey!

Je jouais tout seul dans l'entrée du garage quand j'ai vu un garçon sortir de la maison d'à côté.

Il était beaucoup plus grand que moi, mais il s'est quand même arrêté pour me parler.

Il m'a dit qu'il s'appelait Frédéric, mais que tout le monde l'appelait Fred.

— Va chercher tes patins, m'a-t-il proposé, et viens vite nous rejoindre à la patinoire derrière l'église; la partie va bientôt commencer!

Je lui ai dit que je ne patinais pas très bien.

— Ce n'est pas grave! a-t-il répondu. Dans la ligue Mikado, tout le monde peut jouer!

J'ai fait ce qu'il m'a dit, et je ne l'ai pas regretté!

Fred m'a expliqué les règlements : dans la ligue Mikado, les joueurs lancent leurs bâtons pêle-mêle au centre de la patinoire. Un joueur ferme ensuite les yeux et lance les bâtons à tour de rôle en direction de chaque but.

Quand il n'en reste plus, chacun récupère son bâton,
et les équipes sont formées! De cette façon,
tout le monde peut jouer!

J'ai appris les autres règlements de la ligue Mikado en jouant.

Aussitôt qu'une équipe a marqué cinq buts, la partie est terminée. On lance alors les bâtons au centre de la patinoire, et on recommence! Tout le monde a la chance de jouer pour une équipe gagnante!

Si quelqu'un arrive au milieu de la matinée, il n'a qu'à attendre la fin de la partie en cours. Il lance ensuite son bâton au centre de la patinoire, et il peut jouer lui aussi. Personne ne reste cloué sur le banc!

Personne n'a le droit de compter plus de deux buts par partie. Ainsi, les bons joueurs doivent faire des passes aux autres! Tout le monde peut compter des buts!

13

— Aimes-tu les règlements de la ligue Mikado?

— J'adore ça!

— Dans ce cas, tu peux venir tant que tu veux. Pendant les vacances de Noël, nous jouons tous les jours.

— Génial!

— Je dois t'avertir d'une chose, cependant. Il y a un règlement dont je ne t'ai pas encore parlé, et qui est encore plus important que les autres...

Tu ne dois JAMAIS inviter ton père ou ta mère à assister aux matchs. La ligue est interdite aux parents.

— ... Quel règlement bizarre!

— Ce n'est pas si bizarre que ça. Est-ce que je peux te raconter une histoire?

— Bien sûr! J'adore les histoires! Après le hockey, c'est ce que j'aime le plus dans la vie!

— Dans ce cas, tu vas être servi : c'est une histoire de hockey!

Il y a très longtemps, vraiment très longtemps, les adultes avaient le droit d'assister aux matchs. Au début, ils se comportaient assez bien, mais c'est vite devenu infernal, a raconté Fred.

— Qu'est-ce qu'ils faisaient de si terrible?

— Ils n'arrêtaient pas de crier! «Vas-y, lance! »
« Fais une passe! » « Dégage ton territoire! »
« Accélère! » « Arrête! » « Avance! » « Recule! »
« Eh, l'arbitre, va nettoyer tes lunettes! ».

Certains parents étaient si furieux qu'ils lançaient des objets sur la glace quand ils étaient mécontents des décisions de l'arbitre. On en a même vu qui se battaient entre eux! C'est alors qu'un des joueurs a eu une idée extraordinaire. Il s'appelait Gilbert, et il était tellement bon que tout le monde croyait qu'il jouerait pour les Canadiens de Montréal.

— C'est lui qui a créé la ligue Mikado?

— Oui, mais auparavant, il avait eu une idée encore plus géniale. Écoute-moi bien...

Un beau dimanche matin, Gilbert a réuni tous les joueurs pendant que les parents dormaient. Il leur a expliqué son idée, et tout le monde l'a acceptée avec enthousiasme.

— Ils ont arrêté de jouer au hockey? Ils ont fait la grève?

— Mieux que ça, Simon, mieux que ça! Ils ont rendu aux parents la monnaie de leur pièce...

Le lundi matin, ils se sont mis à suivre le facteur :
« Plus vite, plus vite! » « Tournez à gauche! »
« Non, à droite! » « Non, à gauche! » « Tenez bien la
rampe! » « Avez-vous besoin de nouvelles bottines,
monsieur le facteur? ».

Ensuite, ils sont allés à l'épicerie : « Plus fines, les tranches, monsieur le boucher! » « Non, plus épaisses! » « Plus vite que ça! » « Du nerf, du nerf! » « Un peu de cœur au ventre! »

« Attention aux œufs, madame la caissière! »
« Vous avez oublié de compter une boîte de
conserve! » « Attention, il y avait un rabais sur les
carottes! » « Avez-vous besoin de lunettes? ».

Ils ont fait pareil à la banque : « Plus vite, les additions! »
« Il y a des files d'attente, c'est intolérable! » « On se grouille,
derrière les comptoirs! » « Plus vite que ça, les additions! ».

À midi, ils sont allés au restaurant : « On accélère, aux cuisines! » « Plus vite, les omelettes! ».

Fred a poursuivi :

— Les parents ont bien compris la leçon.
Dès le lendemain, ils ont décidé de faire
une nouvelle patinoire, derrière l'église,
qui serait à jamais réservée à la ligue
Mikado. Elle existe depuis trente ans, et les
règlements n'ont jamais changé. Elle est
toujours interdite aux parents.

— Super! C'est une belle histoire!
Comment l'as-tu apprise?

— C'est mon père qui me l'a racontée.
Il s'appelle Gilbert.

— ... Est-ce qu'il a déjà joué pour les Canadiens?

— Non. Il est devenu médecin. Mais je suis quand même fier de lui!

— Il y a de quoi!

672-64